Kim Kyeong-hwa a étudié la puériculture à l'université Sungkyunkwan, puis le cinéma. Elle a écrit plusieurs albums, dont l'un d'eux lui a valu de recevoir le grand prix décerné par la maison d'édition Changbi.

Yi Jiwon a étudié l'illustration et a commencé sa carrière avec l'album « Qu'est-ce qu'il y a au bout du ciel ? ». Elle a déjà illustré plusieurs livres pour enfants.

© 2010 Kyowon Co., Ltd., Seoul, Korea
Tous droits réservés
© 2014, Editions Philippe Picquier
Le Mas de Vert
B.P. 20150
13631 Arles cedex
www.editions-picquier.fr

ISBN : 978-2-8097-0985-8

Imprimé en Chine par Toppan Leefung
Dépôt légal : février 2014

LIMBO
Le lion

Kim Kyeong-hwa
Yi Jiwon

Traduit du coréen par Lim Yeong-hee

Picquier jeunesse

Dans le zoo du parc, il y a foule devant la cage aux lions.
— Regarde ce lion ! On dirait qu'il est coiffé d'une serpillière mouillée.
Les gens éclatent de rire en voyant la crinière de Limbo
qui pend lamentablement.

Les autres lions,
fiers de leur crinière majestueuse,
attirent les regards de tous les visiteurs.
Mais Limbo est sans cesse l'objet de moqueries
à cause de ses longs poils qui pendouillent.

RAOW !

Limbo grimpe sur le mur de l'enclos
et rugit en ouvrant grand la gueule
pour leur faire peur. C'est peine perdue.
Les gens continuent
tranquillement leur
promenade.

— C'est à cause de ma crinière
que tout le monde se moque de moi !

Tous les animaux s'aplatissent devant les autres lions,
mais pas devant Limbo.
— Ces idiots n'ont pas peur de moi, tout ça à cause de ma crinière !

— Si j'avais une belle crinière, tout le monde m'admirerait.
Alors Limbo frotte ses crins contre un tronc d'arbre.
Il frotte, frotte jusqu'à ce que sa crinière soit toute gonflée.

Mais elle est loin d'être majestueuse. Au contraire, on dirait qu'il porte un grand nid de pie sur la tête. Tout le monde éclate de rire.

— Si j'avais une belle crinière, tout le monde m'aimerait.
Alors Limbo plonge la tête dans un tas de feuilles mortes
que le soigneur a ratissées.
Mais on dirait qu'il a mis un vieux chapeau sale.

Tout le monde éclate de rire.

Limbo a beau gonfler sa crinière
et la couvrir de feuilles mortes.
Il a toujours l'air aussi ridicule.
Quelle déception !
— Moi aussi, j'ai envie d'avoir
une magnifique crinière !

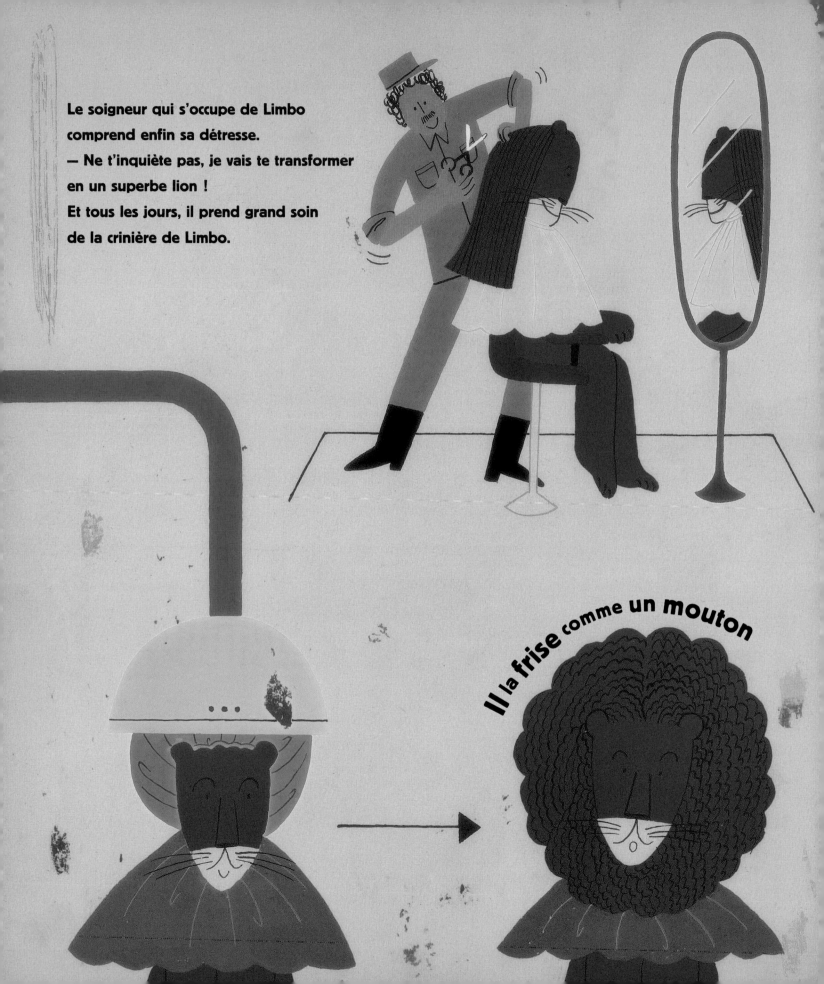

Le soigneur qui s'occupe de Limbo
comprend enfin sa détresse.
— Ne t'inquiète pas, je vais te transformer
en un superbe lion !
Et tous les jours, il prend grand soin
de la crinière de Limbo.

Il la **frise** comme un **mouton**

Il lui **attache** un grand ruban

Il la teint aux couleurs de l'arc-en-ciel !

– Ha ha ha ! Regarde un peu Limbo !
Quelle drôle de coiffure !

Les autres lions se moquent de lui.
Mais les visiteurs, eux, commencent à s'intéresser
à cette crinière qui change tous les jours.

— A quoi va ressembler Limbo aujourd'hui !

— Tu as vu la crinière de Limbo ! Elle est vraiment géniale !

Limbo le moche est devenu l'attraction du zoo.
Sa popularité ne cesse de grandir.

Chaque jour, la file d'attente est plus longue
devant la billetterie du parc.
Certains font le voyage depuis d'autres villes.
D'autres viennent tous les jours,
pour ne rater aucune des transformations
de la crinière de Limbo. Peu à peu,
les gens commencent à imiter sa nouvelle coiffure,
et en un rien de temps, c'est devenu la grande mode.
Si bien que le zoo est rempli de visiteurs
coiffés exactement comme Limbo.

BILLETTERIE

LIONS 20M

Les animaux qui se moquaient de Limbo
lui jettent des coups d'œil envieux.
Limbo, qui s'en aperçoit,
bombe le torse et rugit d'une voix puissante :
— Quoi ? Vous êtes jaloux de ma crinière ? Eh bien,
vous n'avez qu'à demander de l'aide à notre soigneur !

Un matin, en sortant de chez lui, le soigneur n'en revient pas.

Une foule d'animaux font la queue devant sa porte.

Le premier de la file est le panda.

— Je veux me faire friser les poils comme Limbo, dit-il en plissant ses yeux noirs.

— Moi aussi, j'aimerais être coiffé comme Limbo,

supplie l'alligator en montrant les dents.

Aussitôt, leurs compagnons crient en chœur :

S'il vous plaît, faites-nous aussi beaux que Limbo !

Bientôt, tous les animaux du zoo veulent une aussi belle coiffure que Limbo.

Il n'y a pas que les animaux. Les humains aussi veulent confier leurs cheveux aux mains expertes du soigneur.

Le soigneur les coiffe exactement comme les animaux.

Tous ceux qui viennent se promener au zoo
rentrent chez eux la tête joliment transformée.
D'ailleurs, maintenant on vient au zoo pour se faire coiffer,
plutôt que pour admirer les animaux.

Le soigneur est débordé. Il ne sait plus où donner de la tête,
tellement il y a de visiteurs et d'animaux
qui veulent ressembler à Limbo.
Limbo lui propose de l'aider en devenant son assistant.
— Le peigne !
— Les ciseaux !
Limbo exécute promptement les consignes du soigneur.
Et il en profite pour apprendre son merveilleux talent.

Ils accrochent une grande enseigne
devant la maison du soigneur :
Salon de coiffure du Lion.
Le soigneur se consacre aux animaux
tandis que Limbo se charge des humains.

Les deux coiffeurs sont très doués et les clients se pressent dans le salon.

Limbo est si occupé qu'il n'a plus le temps de prendre soin de sa crinière, ni même de se regarder dans le miroir. Sa crinière pendouille de nouveau comme une serpillière mouillée.

Mais un phénomène étrange se produit.
La pitoyable crinière de Limbo,
dont tout le monde se moquait,
a maintenant beaucoup de succès.
Tous, animaux ou humains,
laissent pendre fièrement leurs poils ou leurs cheveux.

Limbo et le soigneur
éclatent de rire en voyant ça.
Désormais, Limbo
n'a plus besoin de changer
de coiffure tous les jours.
Car tout le monde admire sa crinière
telle qu'elle est et veut l'imiter.

WC

TIGRES →